Francis POULENC

Villageoises
Petites pièces enfantines
pour piano

Photo de couverture :
© Claude POIRIER

(Collection Francis POULENC)

Droits réservés

ÉDITIONS SALABERT

à Jean Giraudoux et Louis Jouvet

VILLAGEOISES
Petites Pièces Enfantines
pour piano

I. Valse Tyrolienne

FRANCIS POULENC
(1933)

On jouera de préférence ces pièces en les enchaînant.

Éditions SALABERT
Paris, France

R.L. 11878 a

sans ralentir

II. Staccato

FRANCIS POULENC

ROUART LEROLLE & Cie. Copyright 1933 by   R.L. 11878⁽ˣ⁾ & Cie.

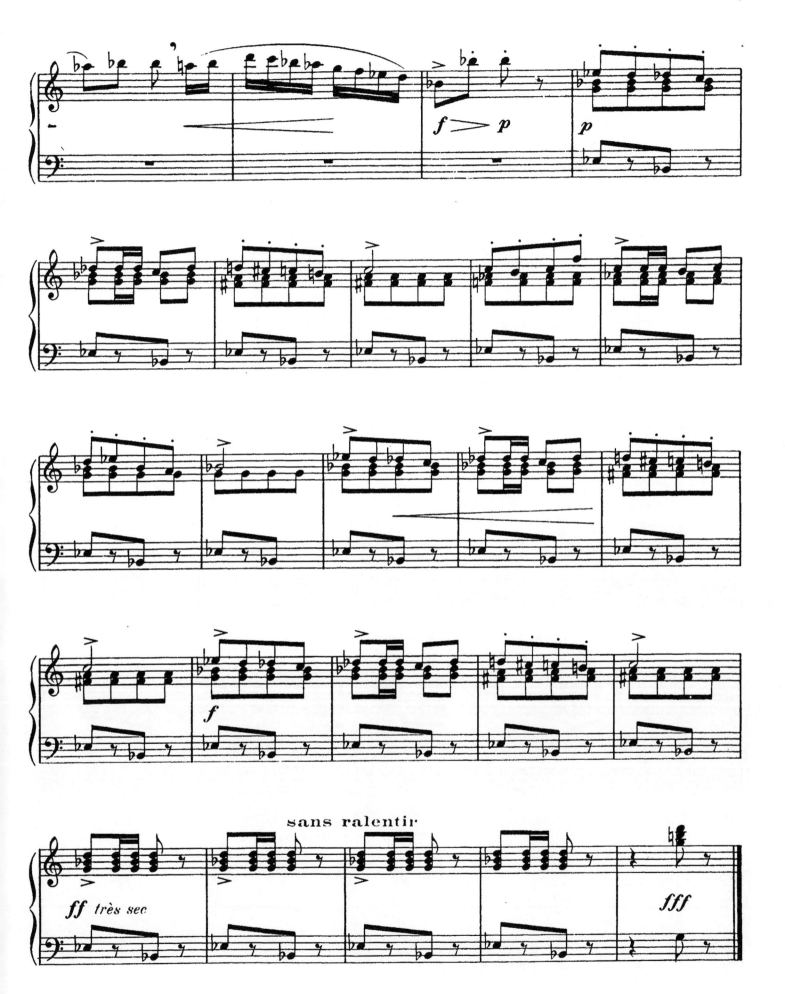

III_ Rustique

FRANCIS POULENC

ROUART LEROLLE . Cie., Copyright 1933 by
Éditions SALABERT
Paris, France

R.L. 11878 & Cie

IV. Polka

FRANCIS POULENC

ROUART LEROLLE & Cie, Copyright 1933 by
Éditions SALABERT
Paris, France

R.L. 11878 & Cie

V. Petite Ronde

FRANCIS POULENC

ROUART LEROLLE & Cie,   right 1930 by   R.L. 11878 (S) & Cie
Éditions SALABERT
Paris, France

VI. Coda

FRANCIS POULENC

ROUART LEROLLE & Cie. Copyright 1933 by
Éditions SALABERT
Paris, France

R.L. 11878 ⁽⁶⁾ & Cie

Presto subito

Montmartre. Février 1933

Extrait du Catalogue des Editions SALABERT

MUSIQUE DE PIANO
(DEGRÉ SUPÉRIEUR)

AUTEURS DIVERS. — A l'Exposition. Album de luxe, 8 illustrations musicales de : Georges AURIC, M. DELANNOY, Jacques IBERT, Darius MILHAUD, Francis POULENC, Henri SAUGUET, Fl. SCHMITT, Germaine TAILLEFERRE.

ALBENIZ (L.). — Yvonne en visite.

AURIC (G.). — Sonatine.
— Sonate en fa majeur.

BACH (J.-S.). — Prélude et Fugue (Transcription L. KARTUN).

BOUTRY (R.). — Scherzo Fantaisie.
— En images.

BREVILLE (P. de). — Stamboul.

CASELLA (A.). — Variations sur une Chaconne.

DAMASE (J.M.). — Apparition.

ENESCO (G.). — 3e Sonate.

FERROUD (P.-O.). — Au Parc Monceau.
— Types.

FUMET (D.-V.). — 6 études caractéristiques, de haute technique musicale.

GERSHWIN (G.). — Rhapsody in blue.
— An American in Paris.
— Préludes.
— Mélodie sur la Rhapsody in blue.

GRADSTEIN (A.). — Hommage à CHOPIN, 12 études pour piano.
— Sonate classique.

GRUNENWALD (J.-J.). — Fantasmagorie, scherzo pour piano.

HARSANYI (T.). — Novelette.
— Rhapsodie.
— 4 morceaux : Prélude, Sérénade, Air, Danse.
— Rythmes.
— Suite brève.

HURE (J.). — 1re Sonate.
— 2e Sonate.
— Nocturne.
- Chant de guerre.

INDY (V. d'). — Contes de Fées.
— Thème varié, Fugue et Chanson.

INFANTE (M.). — Sevillana.
— Gitanerias.
— El Vito.

KOWALSKI (H.). — Marche Hongroise.

LEKEU (G.). — Sonate.

LIPATTI (D.). — Sonatine pour piano (main gauche seule).

LONGAS (F.). — Aragon.
— Habanera.
— Recuerdo.

LOURIE. — Toccata.
— Gigue.

LUTECE (J.). — 24 Préludes (2 cahiers).

MIHALOVICI (M.). — Chanson. Pastorale et Danse dans le style populaire roumain.

MILHAUD (D.). — L'Automne : I. Septembre, II. Alfama, III. Adieu.
— Quatre romances sans paroles.
— Sonate.

MOMPOU (F.). — Chanson et danse nos 5, 6, 7, 8, 9, 10.
— Paysages.
— Musica Callada (9 pièces pour piano).
— Variations sur un thème de CHOPIN.

NERINI (E.). — Fugue.
— Ronde des Lutins.
— Scherzo romantique.

NIN-CULMELL. — Très impresiones. I. Habanera - II. Las mozas del cantaro - III. Un jardin de Toledo.

PIERNE (G.). — Passacaille, étude de concert.
— Viennoise, suite de valses et cortège-blues.

POULENC (F.). — Aubade.
— Badinage.
— Caprice en ut majeur.
— Humoresque.
— 15 improvisations, 2 recueils, ou séparées.
— 1er Intermezzo, en ut majeur.
— 2e Intermezzo, en ré ♭ majeur.
— Napoli.
— Presto en si ♭.

RIETI (V.). — Tre Preludi.

RIVIER (J.). — Musiques.

ROPARTZ (J.-Guy). — Choral varié.
— Ouverture, variation et final.
— Nocturne.

ROUSSEL (A.). — Suite.

SATIE (E.). — 4 préludes.

SAUGUET (H.). — Sonate en ré majeur.
— Françaises (2 recueils).

SCHMITT (Fl.). — Brises.
— Cortège des adorateurs du feu.
— Danse des milliards.
— Feuilles mortes.
— Reflets (2 recueils).
— Reflets d'Allemagne (2 recueils, 4 mains).
— Trois préludes.

SEVERAC (D. de). — Baigneuses au soleil.
— Cerdana.
— Le chant de la terre.
— En Languedoc.
— Sous les lauriers roses.

TURINA (J.). — Bailete - Danses du dix-neuvième siècle : I. Entrada - II. Tirana - III. Bolero - IV. Danza de Corte - V. Fandango.
— Contes d'Espagne.
— Femmes d'Espagne.
— Jardins d'Andalousie.
— La Procession du Rocio.
— Le Quartier de Santa-Cruz.
— Verbena Madrilena.

VOORMOLEN. - Tableaux des Pays-Bas (2 recueils).

CONCERTOS
ou MORCEAUX DE CONCERT
pour piano et orchestre
(Réduction à 2 pianos)

BORDES (Ch.). — Rhapsodie Basque.

CASTEREDE (J.). — Concerto pour piano et orchestre (réduction pour 2 pianos 4 mains).

CRAS (J.). — Concerto.

DUPONT (J.). — Fantaisie pour piano et orchestre (réduction pour 2 pianos 4 mains).

GRUNENWALD (J.-J.). — Concert d'été (piano et orchestre à cordes).
— Concerto.

HARSANYI (T.). — Concertstück.

HONEGGER (A.). — Concertino.

KULLMANN (A.). — Poème concertant.

LUTECE (J.). — Rhapsody in swing.

MALIPIERO (G.-F.). — Cinquième Concerto pour piano et orchestre (réduction pour 2 pianos 4 mains).

MILHAUD (D.). — Concerto.
— Fantaisie pastorale.

POULENC (F.). — Aubade.
— Concert champêtre.
— Concerto pour 2 pianos et orchestre.
— Concerto pour piano et orchestre (1949), (réduction pour 2 pianos 4 mains).

ROGER-ROGER. — Concerto-jazz n° 1.
— Concerto-jazz n° 2.

WIENER (J.). — Cadences.

WITKOWSKI (G.-M.). — Mon lac.

ŒUVRES ORIGINALES
pour 2 pianos.

CASTERA (R. de). — Concert.

HARSANYI (T.). — Pièce à 2 pianos.

INFANTE (M.). — Danses Andalouses : I. Ritmo - II. Sentimento - III. Gracia.
— Musique d'Espagne (3 pièces originales dans le style populaire

MILHAUD (D.). — Scaramouche.